Primera edición: mayo 2003
Cuarta edición: enero 2007

Dirección editorial: Elsa Aguiar

Impresores, 15
Urbanización Prado del Espino
28660 Boadilla del Monte (Madrid)
www.grupo-sm.com

CENTRO INTEGRAL DE ATENCIÓN AL CLIENTE
Tel.: 902 12 13 23
Fax: 902 24 12 22
e-mail: clientes@grupo-sm.com

ISBN: 978-84-348-9269-9
Depósito legal: M-48378-2006
Impreso en España / *Printed in Spain*
Orymu, SA - Ruiz de Alda, 1 - Pinto (Madrid)

EL BARCO  DE VAPOR

El tren saltamontes

Alfredo Gómez Cerdá

Ilustraciones de Margarita Menéndez

El maquinista Bonifacio,
o Boni para los amigos,
llevaba varios años
conduciendo el mismo tren:
el tren de mercancías AJO 24 24.

Aunque el tren era igual
que otros del mismo modelo,
Boni lo prefería a los demás,
y tenía la sensación de que el tren
también lo prefería a él.

Formaban eso que suele
llamarse un buen equipo.

El tren llevaba tantos vagones
que parecía imposible poder contarlos.
Y todos cargados de mercancías.

Pero un día como otro cualquiera,
mientras se dirigía
desde una ciudad del interior
a uno de los más importantes
puertos de mar,
en medio de una inmensa llanura,
el tren AJO 24 24 dio un salto.

No había ningún obstáculo en las vías
y el terreno era tan llano
como un campo de fútbol.

«¿Qué ha pasado?»,
Boni se rascaba la coronilla
mientras revisaba la locomotora.
Todo funcionaba a la perfección.

—¡Qué cosa tan rara!
–exclamó el maquinista en voz alta–.
En mi vida he visto a un tren
dar un salto semejante.

Boni se habría olvidado por completo
de aquel incidente
de no ser porque, a los pocos días,
el tren volvió a saltar.
Fue un salto corto, pero brusco,
que le hizo derramar sobre su ropa
una botella de agua,
de la que se disponía
a beber un trago.

El maquinista, muy sorprendido,
volvió a revisar el tren
de arriba abajo.
Todo funcionaba bien.

Sin embargo,
cada día que pasaba,
AJO 24 24 saltaba más y más.
Parecía un saltamontes.
Eso sí,
nunca se paraba por ese motivo
y siempre llegaba puntual a su destino.

Boni prefirió no decir nada
por el momento,
para que el tren no fuese apartado
de la circulación,
e intentaba descubrir la causa
de aquel extraño comportamiento.

Se pasaba las horas pensando
en los inexplicables saltos y,
como no lograba descubrir el porqué,
buscaba información sobre trenes
en libros muy gordos con fotografías,
en documentales,
en programas informáticos...

Pero en ningún sitio hallaba la solución.

Al cabo de unas semanas,
algunas personas comenzaron
a sospechar que
algo no funcionaba bien
en AJO 24 24.

El primero en darse cuenta
fue don León.

Don León era el jefe de los trenes.
Le gustaban tanto los trenes
como las hamburguesas con queso.
Se pasaba todo el día comiéndolas.
Por eso estaba tan gordo.

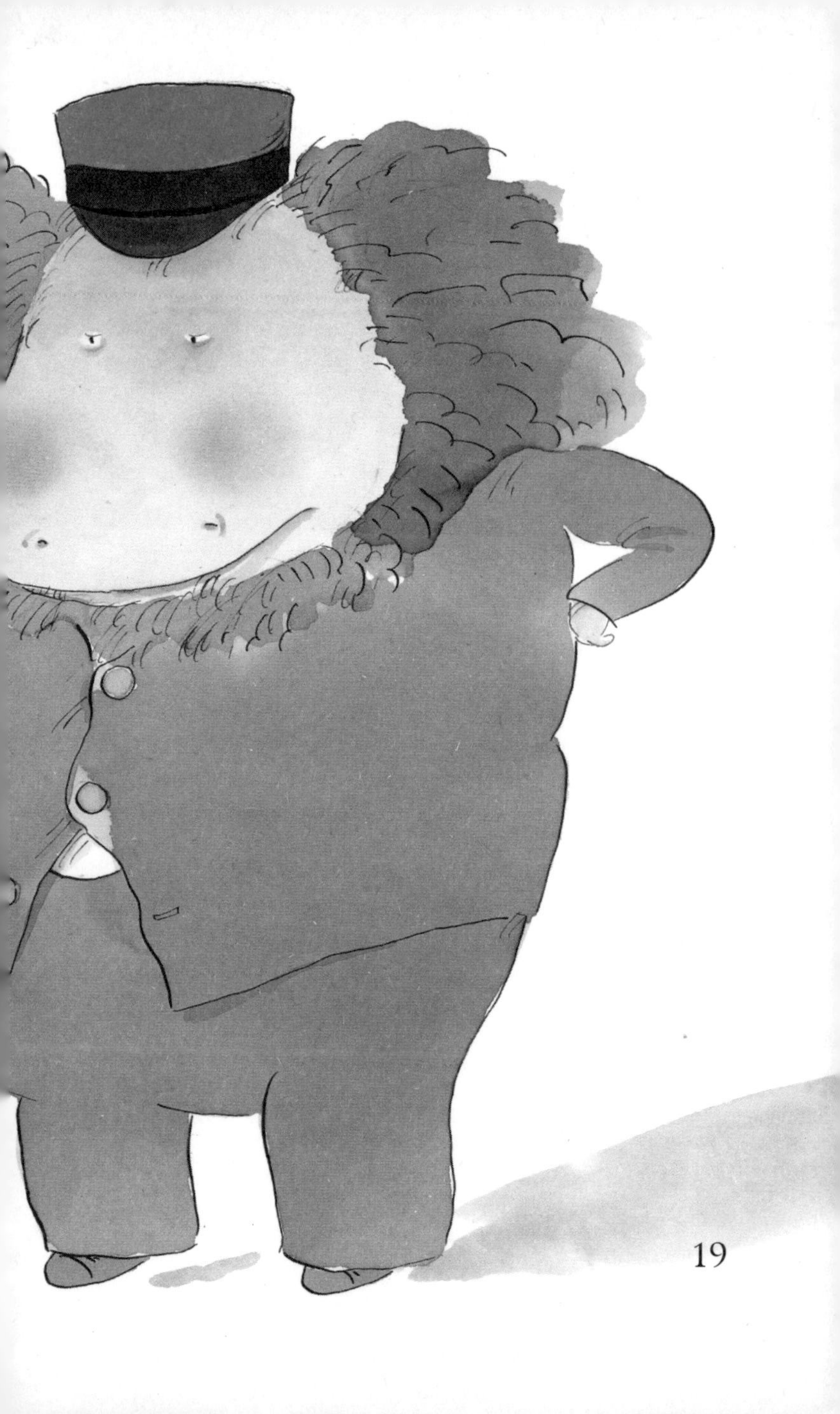

Cuando caminaba,
las carnes se le movían
de un lado a otro,
como si se hubieran puesto a bailar
por su cuenta.
Algunos bromistas decían que,
mejor que don León
debería llamarse don Hipopótamo.

—Se han quejado los pastores
–le dijo a Boni.

—No entiendo por qué
–se extrañó el maquinista–.
Hemos sido puntuales.

—Dicen que las ovejas
han bajado del tren mareadas,
como si hubieran estado
en la montaña rusa.

—Será porque han permanecido
varias horas sin comer.

—Ayer se quejaron
los fabricantes de refrescos
–continuó don León.

—¿Por qué motivo?

—Dicen que muchas botellas
llegaron rotas.

Los pastores y los fabricantes
de refrescos tenían razón.

Las ovejas se habían mareado
por culpa de los saltos
de AJO 24 24,
que cada día estaba peor,
y algunas botellas se habían roto
por la misma causa.

Boni, incluso,
preguntó a algunos compañeros
y a algunos mecánicos de trenes.

Lo hizo con mucho tiento,
para que no sospecharan nada.

—Desde luego,
soy un maquinista con suerte
–comenzó a decir–.
Llevo un montón de años
con AJO 24 24 y nunca
me ha dado un problema serio.

Sin embargo,
he oído decir que otros trenes...

—Otros trenes no salen del taller...
le cortó un compañero.

—Las locomotoras tienen que
estropearse de vez en cuando
–añadió un mecánico–.
De lo contrario,
¿de qué íbamos a vivir nosotros?

—Por cierto,
¿habéis oído hablar
de una extraña avería que hace
que el tren vaya dando saltos?
–continuó Boni.

—¿Saltos?
–se extrañó el mecánico.

—Sí, saltos.

—Pero... ¿Qué tipo de saltos?
¿Como un saltimbanqui?
¿Como un caballo?

—Más o menos como...
un saltamontes.
De repente, el tren... ¡zas!,
da un salto.

—Boni trató de explicarlo
lo mejor posible
y, para ello,
acompañó sus comentarios
con movimientos de sus brazos.

—¿Dices que como un saltamontes...?
-insistió el mecánico.

—Más o menos.

—Llevo años reparando trenes
y en mi vida he oído hablar
de algo semejante.

Un día,
cargaron los vagones de AJO 24 24
con troncos de árboles.
Eran troncos muy derechos
y ya limpios.
Había que llevarlos
hasta una gran fábrica de muebles,
donde los transformaban en sillas,
mesas, puertas, estanterías...
Y cosas semejantes.

De uno en uno,
los vagones fueron cargados.

No se trataba de vagones cerrados,
sino de plataformas abiertas,
donde los troncos eran apilados
y atados con fuertes cuerdas
para que no se cayeran
durante el recorrido.

Cuando Boni vio
que la luz verde del semáforo
se encendía para darle la salida
y que el factor le hacía señales
desde el andén,
dejó que el tren,
muy lentamente,
comenzara a deslizarse por los raíles.
Abandonó la estación,
primero, y luego
se fue alejando de la ciudad.

Y apenas habían perdido de vista
las últimas casas,
cuando AJO 24 24 dio el primer salto.
Unos kilómetros más adelante,
dio el segundo salto.
Y poco después el tercero.
Y el cuarto.
Y el quinto...

Ya había dado por lo menos
tres o cuatro docenas de saltos,
cuando, por culpa de tanto movimiento,
las cuerdas se aflojaron
y los troncos cayeron
por ambos lados de los vagones
y se desparramaron por unas viñas.
Menos mal
que no había ninguna persona
en ese momento por allí.

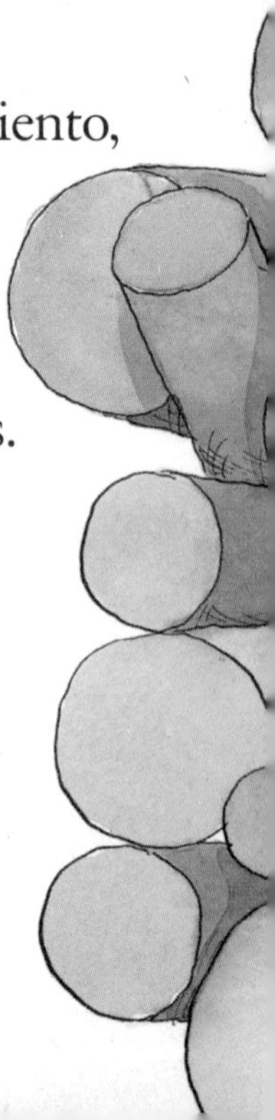

Boni frenó a toda prisa
y se quedó mirando aquel desastre.
No podía recoger los troncos
uno a uno.
Eran demasiado pesados.

Solo le quedaba una solución:
llamar a don León
y contarle lo que había sucedido.
Y eso, claro, significaba
que el tren de mercancías AJO 24 24
sería apartado de la circulación
y conducido a un taller.

Y así ocurrió.
AJO 24 24 fue llevado
a un enorme taller,
donde varios mecánicos lo examinaron
a fondo durante días.

De vez en cuando,
Boni se acercaba allí.
—¿Habéis dado ya con el problema?
–les preguntaba.
—No hemos visto una cosa parecida
en toda nuestra vida
–respondían los mecánicos–.
Este tren funciona perfectamente,
no podemos entender
por qué motivo da esos saltos
tan extraños.
Pero no creemos que pueda
volver a circular.

Antes de que AJO 24 24
fuese abandonado
y convertido en chatarra,
Boni convenció a don León
para que llamase
al mejor mecánico de trenes del mundo.

El mejor mecánico vino desde Japón.
Era un hombre pequeño
y siempre risueño,
con unos ojos casi sepultados
por los pliegues de su cara,
amarilla y redondeada.
Se llamaba Katanguli.

El señor Katanguli examinó
durante dos días a AJO 24 24.
Y al tercer día dijo:

—Katanguli sabel lo que pasal a tlen.

Boni abrió unos ojos como platos.

—Tlen no estal aveliado, sino enfelmo.

—¿Enfermo? –se extrañó Boni,
que nunca había oído que los trenes
pudieran estar enfermos.

—Enfelmo, sí
–continuó el señor Katanguli–.
Hay muy pocos tlenes en el mundo
que padezcan esta enfelmedad.
Se llama "hipo del tlen".

—¡Hipo del tren!
–Boni no salía de su asombro.

Aquella afirmación del señor
Katanguli parecía
desde luego un disparate.
El hipo era un problema
de los humanos,
no de los trenes.
Pero, aunque Boni insistía,
el señor Katanguli
no daba su brazo a torcer.

—AJO 24 24 tenel una enfelmedad
llamada "hipo del tlen".

—¡Qué tipo tan cabezota!
–exclamó Boni sin darse cuenta.

—Katanguli no sel cabezota,
sel mecánico de tlenes.
Y muy bueno.

El japonés no se inmutaba.

Entonces Boni tuvo una idea.
—De acuerdo, señor Katanguli
–le dijo–. AJO 24 24
no está averiado,
sino enfermo.
Pues, entonces, denos un remedio
para curar su enfermedad.
—Hipo del tlen no glave, pelo
inculable.
—¡Incurable!
—Inculable, sí; pelo no glave.
El señor Katanguli quería decir
que AJO 24 24 no iba a morirse
de aquella enfermedad,
pero que nunca podría librarse de ella.
Y si no se libraba de ella,
jamás podría volver a circular.

—No glave, pelo inculable –repetía el señor Katanguli como un disco rayado.

El mejor mecánico de trenes del mundo
regresó a Japón
y Boni trató de convencer
por todos los medios a don León:

—Pues yo opino
que AJO 24 24 podría seguir circulando.

—Ya has oído al señor Katanguli:
el tren tiene la enfermedad del hipo.

—Pero... la próxima vez
ataremos los troncos con más cuerdas
y con nudos más seguros,
para que no se aflojen
–insistía Boni.

—Sería muy arriesgado.

—Yo estaría muy pendiente...

—No insistas, Boni
–don´León negaba
con gestos de su cabeza
mientras que sus carnes iban
de un lado a otro–.
No voy a consentir
que circule un tren
que va dando saltos.
—Los saltos no le impiden
ser puntual.
—Parece como si,
en vez de sobre los raíles,
circulase sobre una cama elástica.

Desde el taller,
AJO 24 24 fue trasladado
al cementerio de chatarra.

Boni iba a visitarlo
en cuanto tenía un poco de tiempo
y le contaba las cosas que hacía y
lo mucho que lo echaba de menos.
—Sigo llevando mercancías
de acá para allá,
pero te aseguro que no es lo mismo.
Me acuerdo de ti a todas horas.
A Boni le entristecían esas visitas,
pues no soportaba ver
cómo AJO 24 24 se iba oxidando
poco a poco,
y se cubría de polvo y de telarañas.

Un par de meses después,
cuando regresaba desconsolado
a su casa, Boni tuvo
una idea genial.

Se quedó un instante parado
en medio de la calle,
como alelado,
hasta que el bocinazo de un autobús
lo devolvió a la realidad.

Luego, echó a correr
y no se detuvo
hasta que encontró a don León.

—¡Tengo la solución!
–le dijo.

—¿De qué me estás hablando?
–don León estaba muy sorprendido.

—AJO 24 24 podrá volver a circular.

—No te hagas ilusiones.

Y a las pocas semanas AJO 24 24, bien limpio y engrasado, volvió a circular.

Por supuesto, Boni era su maquinista.

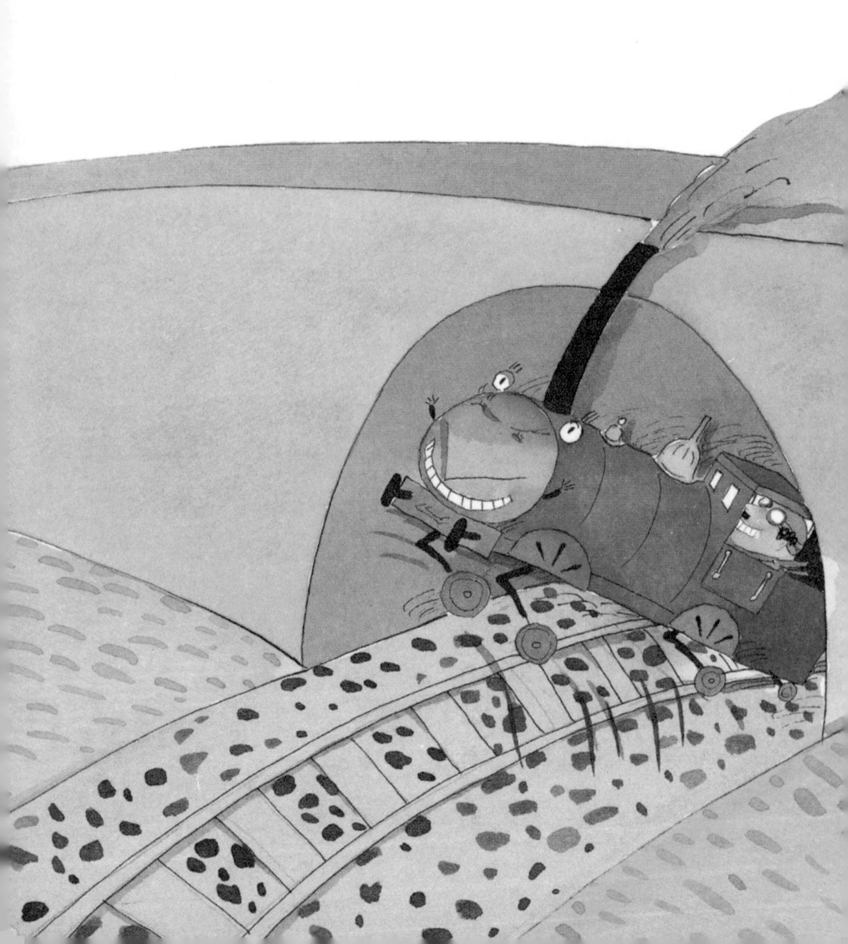

Como había asegurado el señor
Katanguli,
el hipo del tren era una enfermedad
incurable, pero no grave.

Por eso,
AJO 24 24 continuó dando
saltos y más saltos.

Pero Boni había encontrado
una solución muy sencilla:
había que cargar la mercancía adecuada.
Desde aquel día,
AJO 24 24 se convirtió
en un tren de mercancías muy especial.
Solo transportaba algunas cosas.
Se le daba de maravilla
transportar batidos.
En unos grandes depósitos
se echaba la leche, el chocolate,
el azúcar, las fresas, la nata...
Luego, el tren se ponía en marcha y,
gracias a la enfermedad del hipo
y a los saltos,
cuando llegaba a su destino
los batidos estaban a punto.
¡Exquisitos!

AJO 24 24 ligaba la mayonesa
como nadie.
Solo había que llenar
grandes recipientes
de aceite, huevos, sal
y un chorrito de limón.
El vaivén del tren
se encargaba del resto.
Todos los fabricantes de mayonesa
querían llevarla en el tren.

En vagones hormigoneras
preparaba una masa perfecta
con cemento, arena,
piedrecillas y un poco de agua.

Las casas que se hacían
con aquella masa
eran las más resistentes.
Las empresas de la construcción
se disputaban a AJO 24 24.

Y muchas más cosas.

Boni estaba tan contento
que, a veces,
sin poder controlarse,
hacía sonar la sirena del tren
durante mucho tiempo,
mientras atravesaban
los campos inmensos
dando saltos.

iiii iiii iiii
¡Piiiiiii iiiiiiii iiiiiiii iiiiiiii!

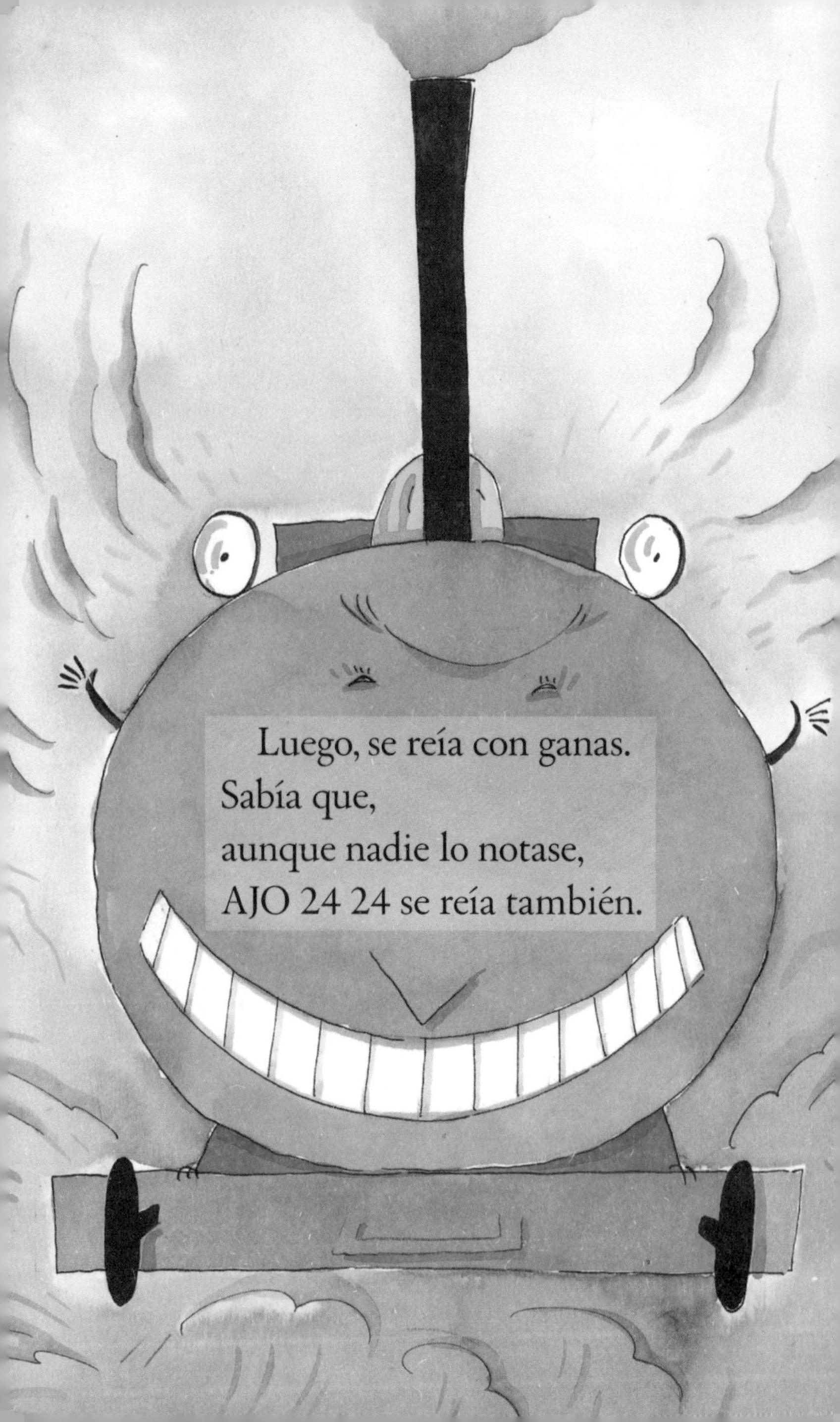

Luego, se reía con ganas.
Sabía que,
aunque nadie lo notase,
AJO 24 24 se reía también.